나를 표현하는 열두 가지 감정

내 마음을 제대로 이해하고 잘 다스리자!

임성관 글 · 강은옥 그림

책속물고기

차례

감정을 잘 표현하고 다스리는 법을 배워요!

'열 길 물속은 알아도 한 길 사람 속은 모른다.'는 속담을 들어 본 적이 있나요? 깊은 물속은 장비를 갖추고 잠수를 할 수만 있다면 얼마든지 확인할 수 있어요. 하지만 사람이 느끼는 감정은 엑스레이 촬영 혹은 내시경을 통해서도 볼 수가 없답니다. 사람들은 자신의 감정도 정확히 모를 때가 많아요. 따라서 다른 사람의 감정을 안다는 것은 더욱 어려운 일이겠지요.

그렇다면 여러분은 자신의 감정에 대해 얼마나 알고 있나요? 내가 자주 느끼는 감정은 무엇이고, 그 감정은 어떨 때 느끼며, 또 그런 감정을 느끼면 어떤 생각이나 행동을 하는지 알고 있나요?

만약 잘 모르겠다면 지금부터라도 내 감정에 집중할 필요가 있어요. 그래야 감정을 제대로 표현할 수 있고, 잘 다스릴 수 있기 때문이에요.

그런데 감정은 내 안에 있으면서도 뜻대로 조절하기 힘들어요. 시시때때로 바뀌고 사람들마다 다르기 때문에 어느 장단에 맞춰야 할지 잘 모를 수밖에 없답니다. 그러므로 긍정적이고 평온한 마음을 가지고 감정을 지켜봐야 하지요.

어려울 것 같다고요? 맞아요, 쉽지 않습니다. 하지만 걱정하지 말아요. 이 책에는 어린이 여러분이 감정을 이해하고 다스릴 수 있는 특별한 방법이 담겨 있거든요. 우선 가장 중요한 '열두 가지 감정'을 이해한 다음, 그 감정들을 잘 전할 수 있도록 '65가지 감정 표현 단어'를 익히고, '감정 일기'를 통해 감정을 잘 갈무리하는 것이지요.

이 책은 내 감정뿐만 아니라 남의 감정을 이해하는 데도 도움이 될 거예요. 내가 느낀 감정이라고 해도, 그 감정은 나만의 것이 아니랍니다. 왜냐하면 감정은 결국 흐르고 흘러 다른 사람들한테도 전해지기 때문이에요.

자, 이제부터 감정에 대해 배워 볼까요? 내 마음을 밝고 건강하게 만들고, 더불어 다른 사람과 좋은 관계를 맺기 위해서요.

휴독서치료연구소 소장

임성관

1장

내 마음을
알 수 있는
열두 가지
감정 이야기

안녕? 나는 '마음이'라고 해.

혹시 네 마음속을 들여다본 적 있니?

누구나 마음 주머니를 가지고 있단다.

거기에 감정들을 채우면

내가 무엇을 원하는지 잘 알 수 있지.

이제부터 내가 열두 가지 감정 이야기를 들려줄게.

함께 다양한 감정들을 이해하면서

마음 주머니를 넉넉하게 채워 보자.

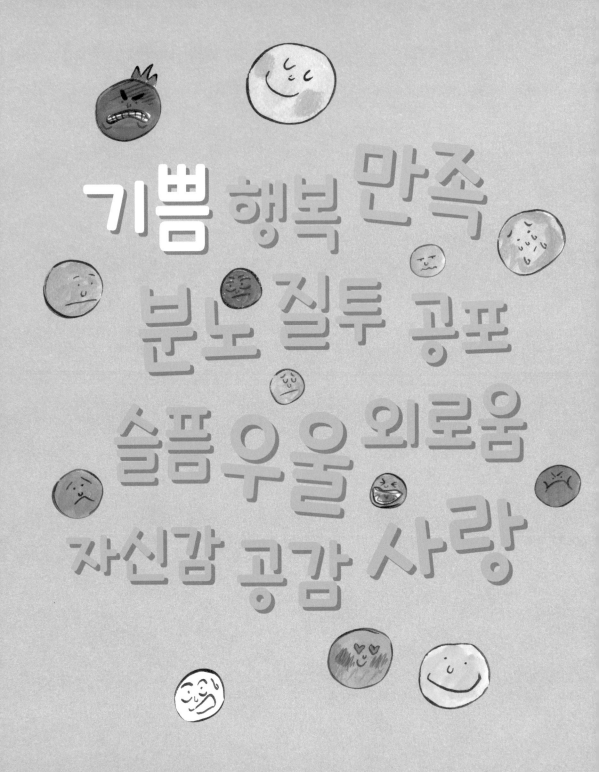

지금
내 감정은?

기쁨 | 바라는 일이 이루어지거나 좋은 일이 생겨 즐거운 마음.

첫 번째 감정

기쁨

좋은 일이 있으면 '기쁘다'는 표현을 많이 쓰지? 또 바라던 일이 이루어지면 '기쁨'이라는 마음이 절로 느껴질 거야.

아기들은 엄마 아빠가 안아 주면 좋아서 방실방실 웃으며 기쁨을 표현해. 학생들은 학교에 가지 않은 날, 방학이 시작되거나 시험을 잘 봐서 성적이 올라갔을 때 기쁠 거야.

또 어떨 때 기쁠까? 게임에서 상대방을 이기거나 레벨이 올라가면 뛸 듯이 기쁘다고? 생일날에 원하는 선물을 받았을 때도 기분이 아주 좋았을 거야.

가끔은 어떤 일에 성공했을 때나 경쟁하다가 이겼을 때에 기쁜 마음을 가지게 돼. 오랜 시간 동안 노력해서 이루어 낸 성공이나 승

리라면 그 기쁨은 더 클 거야.

우리는 기쁜 마음을 어떻게 표현할까?

먼저 표정이 밝아지겠지. 그리고 기뻐하는 마음이 클수록 웃음소리가 더 커질 수도 있고, 때로는 만세를 부르거나 주먹을 힘껏 쥘 수도 있어. 팔짝팔짝 뛰면서 기뻐하는 사람도 있지. 흥분해서 목소리가 커지기도 하고, 가슴이 떨리기도 해.

그러면 기쁠 때는 어떤 말을 할까? '날아갈 것 같아.'라는 말은 어때? 생각만 해도 몸과 마음이 가벼워지는 것 같지 않니?

즐거운 마음을 담아 '야호', '우아' 하면서 소리를 질러도 좋아.

날아갈 것만 같아!

자, 가장 먼저 기쁨을 알아봤어. 이야기를 들으며 네가 기뻤던 때가 자연스럽게 떠올랐다면 기쁨이라는 감정을 잘 이해한 거야.

사실 기쁨은 아주 작은 일에서도 느낄 수 있는 감정이야. 그렇지만 우리가 이 세상을 열심히 살아갈 수 있게 만들어 주는 큰 힘을 가지고 있단다.

이런 말이 있어.

"웃으면 복이 온다."

웃을수록 무엇이든 할 수 있는 힘이 생기고, 좋은 일도 자꾸자꾸 생기게 될 거야. 함께 기쁜 마음으로 웃어 보자.

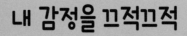

내 감정을 끄적끄적

너는 언제
기쁨이라는
감정을 느꼈니?

사랑하는 가족이나 친구들을 기쁘게 만들려면
어떻게 해야 할지 생각해 보자.

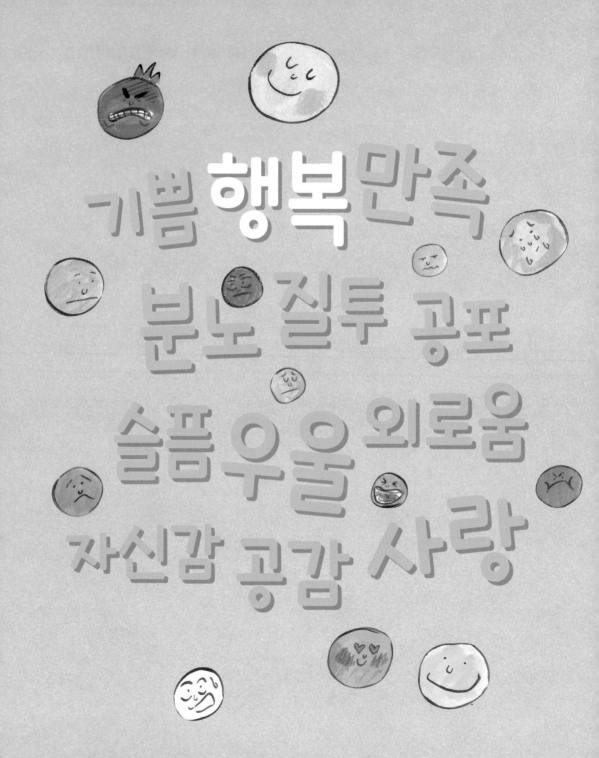

지금
내 감정은?

행복 | 기쁘고 즐거워서 흐뭇한 마음.

두 번째 감정
행복

지금 행복을 느끼며 살고 있니, 아니면 불행하다고 느끼며 살고 있니?

혹시 학교도 모자라 매일 학원에 가서 밤늦게까지 공부를 해야 하기 때문에, 좋아하는 컴퓨터 게임이나 축구 등을 마음껏 할 수 없어 불행하다고 느끼고 있니? 유행하는 최신 휴대전화나 게임기를 가지지 못해서 짜증을 내며 투덜거리고 있지는 않니?

만약 그렇다면 지금부터라도 생각을 조금만 바꾸어 보자. 행복한 생각이 행복한 마음을 불러

일으키니까 말이야.

우리나라보다 훨씬 가난한 나라에 태어나 학교도 가지 못한 채 공장에서 일하는 아이들의 이야기를 텔레비전이나 인터넷에서 보고 들은 적 있을 거야. 그리고 큰 병에 걸려 아픔을 참으며 치료받는 아이들도 많단다. 그 아이들은 분명 우리보다 더 힘들고 더 아플 거야.

내가 가지지 못한 것, 내가 바라는 대로 이루어지지 않은 것에 대해 불평만 늘어놓지 말고, 지금 건강하게 친구들과 어울려 학교에 갈 수 있고, 무엇보다 미래에 대한 꿈을 키워 갈 수 있다는 점에 감사하며 행복한 마음을 가지려 노력하면 어떨까?

'물이 아직 반이나 남아 있다'는 행복한 생각과 '물이 반밖에 남지 않았다'는 불행한 생각은 아주 큰 차이를 가져온단다.

모든 일은 마음먹기에 달려 있어.

그러니까 언제나 긍정적으로 생각한다면 분명 행복한 일들이 가득할 거야.

자, 가까운 곳에 거울이 있다면 그 앞으로 가서 살짝 미소 지으며 거울 속의 네게 말해 보렴.

"나는 정말 행복한 사람이야!"

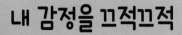

내 감정을 끄적끄적

너는 언제

행복이라는

감정을 느꼈니?

행복한 마음을 다른 사람과 어떻게
나눌지 생각해 보자.

지금
내 감정은?

만족 | 모자람이 없이 넉넉한 마음.

세 번째 감정

만족

감정은 바이러스처럼 다른 사람한테 전해져. 환하게 웃는 사람을 보면 나도 모르게 기분이 좋아지고, 얼굴을 잔뜩 찌푸린 사람을 보면 덩달아 기분이 나빠지기도 하지.

그러면 내 기분도 좋고, 더불어 다른 사람의 기분도 좋게 하려면 어떻게 해야 할까? 바로 '만족'하는 마음가짐을 가지도록 노력해야 돼.

사실 사람의 욕심은 끝이 없어서 쉽게 만족을 못 한다. 조금만 더 하면 결과가 훨씬 나을 것 같다는 생각이 결국 더 좋지 않은 상황을 만들기도 해.

반대로 너무 빨리 만족해도 문제가 돼. 적당한 욕심은 더 노력하

게 만들어 주거든. 그럼 큰일을 잘 해낼 수
도 있지.

　만족과 욕심, 마치 곡예사가 줄타기를 하는 것 같
지 않니? 둘 사이의 균형을 잘 잡는 것은 곡예사가 높이 매어 놓은
줄에서 떨어지지 않기 위해 애쓰는 것과 비슷하단다. 너무 욕심을
부리면 오히려 더 나빠질 수 있지만, 적당한 욕심은 더 발전할 수 있
는 힘과 기회를 만들어 주니까 말이야.

　그렇다면 너는 지금 무엇에 만족하지 못하는지 생각해 보렴.

얼굴이 예쁘지 않고, 키가 너무 작은 것 같다고? 돈이 많지 않아서 하고 싶은 일을 제대로 하지 못하고, 가지고 싶은 물건을 마음대로 가지지 못한다고? 아마 생각할수록 만족스럽지 않은 것들은 자꾸 떠오를 거야.

사람들이 쉽게 만족하지 못하는 까닭은 다른 사람한테 행복하게 보이려고 애쓰기 때문이란다. 행복의 기준을 내가 아닌 다른 사람의 시선과 평가에서 찾기 때문이지.

너 자신이 가장 소중하고 행복한 사람이라고 생각해 보렴.

그러면 만족하는 마음이 자연스럽게 생길 거야.

내 감정을 끄적끄적

너는 언제

만족이라는

감정을 느꼈니?

만족하기 위해 노력해 본 적이 있니?
어떤 노력을 했는지 생각해 보자.

감정도 쉬는 시간이 필요해

우리는 다양한 감정을 느끼며 살아. 기쁘다가도 화가 날 수 있고, 슬프다가도 즐거워질 수 있단다. 그런데 그런 감정들을 잠깐 멈추면 어떨까?

휴대전화 배터리가 다 닳으면 충전을 하고, 자동차에 기름이 떨어지면 주유소에 들르는 것처럼 우리 감정도 계속 쓰면 힘들고 지치기 때문에 쉬는 시간이 꼭 필요해.

이제부터 감정을 다독이는 방법을 알려 줄게.

가장 먼저 조용한 음악을 틀어. 이어서 편하게 앉은 뒤 눈을 감아. 그리고 천천히 숨을 쉬면서 기분 좋았던 일들을 떠올려 보렴. 가봤던 곳 가운데 가장 마음에 들었던 곳, 함께 있으면 좋은 사람들을 떠올려도 좋아.

어때? 마음이 차분해지는 것 같지?

이 방법은 잠자리에 누워 잠이 들기 전에 한다면 더 효과가 있어. 그대로 스르르 잠이 든다면 기분 좋았던 일들이 꿈에서 나타날 테니까. 아마도 다음 날 아침에 눈을 뜨면 한결 개운할 거야.

 나만의 방법을 댓글로 달아 줘!

감정을 어떻게 다스리니?

└ 나는 재미있는 책을 읽어. 푹 빠져 읽다 보면 마음이 안정되는 것 같아.

└

└

└

└

└

지금
내 감정은?

분노 | 몹시 못마땅하거나 언짢아서 화를 내고 싶은 마음.

네 번째 감정

분노

어디서 크게 외치는 소리가 들리는 것 같다고? 누군가 '분노'라는 감정을 겉으로 드러내는 중이라서 그럴 거야.

분노는 여러 감정들 가운데 가장 큰 에너지를 내는데, 안타깝게도 그 에너지가 부정적으로 쓰인다는 점이 문제야.

운동 경기에서 우리 팀이 지고 있으면 화가 나서 더욱 최선을 다하는 긍정적인 에너지로 쓰이기도 해. 하지만 대부분은 몹시 화가 나면 상대방을 공격하거나 무엇인가를 부수는 데 힘을 쓰게 되지. 그래서 분노라는 감정은 잘 다뤄야 한단다.

그렇다면 어떨 때 화가 날까?

바라는 것을 이루지 못하거나 거절을 당했을 때 화가 치밀어 오를 거야. 아니면 며칠 동안 열심히 해 놓은 숙제를 동생이 망가뜨렸을 때 화가 날 수도 있지.

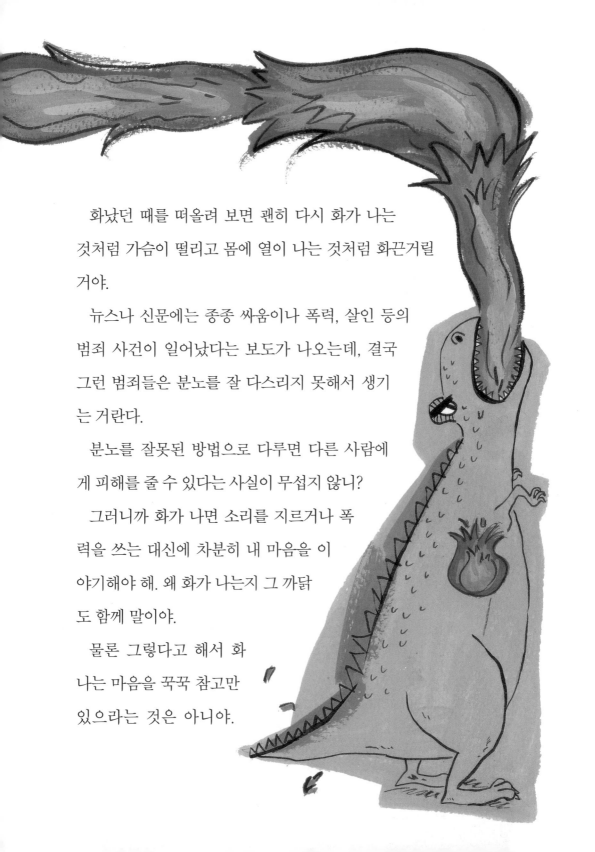

화났던 때를 떠올려 보면 괜히 다시 화가 나는 것처럼 가슴이 떨리고 몸에 열이 나는 것처럼 화끈거릴 거야.

뉴스나 신문에는 종종 싸움이나 폭력, 살인 등의 범죄 사건이 일어났다는 보도가 나오는데, 결국 그런 범죄들은 분노를 잘 다스리지 못해서 생기는 거란다.

분노를 잘못된 방법으로 다루면 다른 사람에게 피해를 줄 수 있다는 사실이 무섭지 않니?

그러니까 화가 나면 소리를 지르거나 폭력을 쓰는 대신에 차분히 내 마음을 이야기해야 해. 왜 화가 나는지 그 까닭도 함께 말이야.

물론 그렇다고 해서 화나는 마음을 꾹꾹 참고만 있으라는 것은 아니야.

그러면 나중에 화산처럼 한순간에 폭발해서 무슨 일을 저지를지 모르거든. 마구 욕을 하고 상대방을 다치게 할 수도 있어.

그러니까 화를 잘 풀기 위해 노력해야 돼.

대화하면서 분노를 가라앉히고 잘 다스리도록 하자.

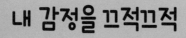

내 감정을 끄적끄적

> 너는 언제
>
> **분노**라는
>
> 감정을 느꼈니?

어떨 때 화가 나는지 알고 있으면
미리 마음을 다스릴 수 있어.

지금
내 감정은?

질투 | 다른 사람이 잘되는 것을 괜히 미워하는 마음.

다섯 번째 감정

질투

엄친아

'엄친아', '엄친딸'이라는 말을 들어 본 적 있니? '엄마 친구 아들' 과 '엄마 친구 딸'을 줄여서 부르는 말이야. 무엇이든 잘하는 친구들 을 가리키지.

엄마 아빠가 가끔 그 친구들과 비교하는 말을 하시지?

"엄마 친구 아들 누구는 이번에 또 1등을 했대. 지난번에는 피아 노 연주 대회에 나가서 상을 받아 왔다고 하던데. 우리 아들도 좀 그 랬으면 좋겠는데, 어휴!"

이런 말을 들으면 마음이 어떨 것 같니?

잘하고 싶지만 생각만큼 잘 안되는 마음을 부모님이 몰라줘서 서운할 테고, 또 자기 자신이 한없이 밉고 부끄러울 수도 있어. 무엇보다 얼굴도 잘 모르지만 엄마 친구 아들이 괜히 미워질 수도 있을 거야. 그런 감정이 바로 '질투'란다.

또 질투는 좋아하는 사람이 내가 아닌 다른 사람을 좋아할 때 일어나는 감정이기도 해.

한번 내가 좋아하는 아이가 나를 좋아하지 않고 다른 아이를 좋아한다고 상상

해 봐. 어쩐지 속에서 무엇인가 불끈하고 솟구치는 것 같다면, 질투를 느끼는 거야.

그런데 유난히 질투가 심한 사람은 자신을 점점 초라하게 여기게 돼. 그러면 자신을 사랑하고 존중하는 마음인 '자아존중감'이 낮아질 거야. 그러니까 질투하기 전에 나를 사랑하는 마음을 먼저 키우길 바라. 내가 나를 사랑하면 다른 사람들도 나를 사랑하고 존중하게 되니까 말이야.

'부러우면 지는 거다.'라는 말이 있지? 이 말을 새롭게 바꿔서 생각해 봐.

"부러워만 하면 지는 거다!"

부러우면 노력을 해서 더 나은 사람이 되어 보는 거야.

너는 언제

질투라는

감정을 느꼈니?

친구를 질투할 때 너는 어떻게 행동했니? 그 행동
때문에 친구가 상처를 받지 않았는지 생각해 보자.

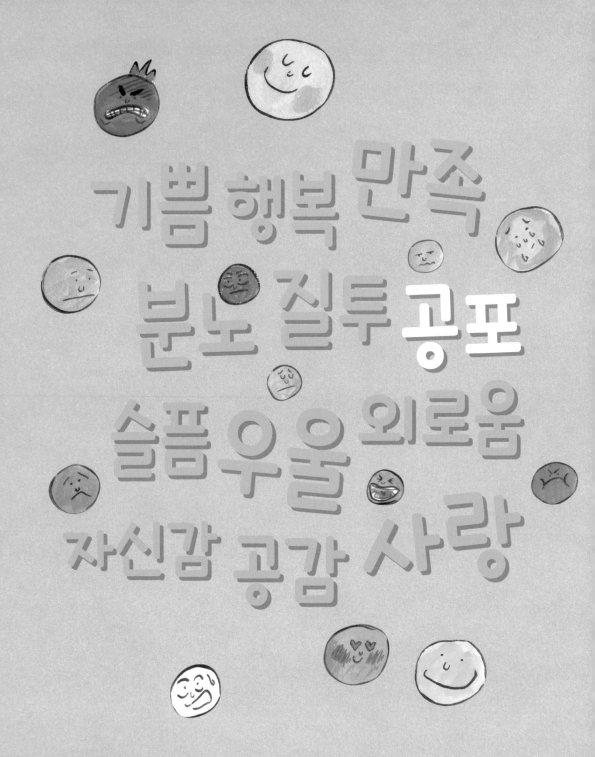

지금
내 감정은?

공포 | 무서워서 꺼려지고 겁나는 마음.

놀이공원에 있는 '귀신의 집'에 가 본 적 있니? 롤러코스터나 바이킹처럼 높은 곳에서 빠르게 움직이는 놀이 기구는 어땠니? 재미있다고 생각하는 친구도 있겠지만, 분명 무서워하는 친구도 있을 거야.

너는 겁이 많은 편이니? 그렇다고 부끄러워하지는 마. '공포'는 누구나 가지고 있는 감정이니까 말이야.

험악하게 생긴 사람을 무서워할 수 있고, 어떤 동물을 유난히 무서워할 수도 있어. 아니면 귀신이나 외계인처럼 눈에 보이지 않는 것들을 무서워할 수도 있지. 또는 학교에서 보는 시험을 무서워하거나, 선생님이나 부모님한테 벌을 받는 순간이 무서운 친구들도 있을 거야.

이렇게 무언가를 두려워하는 것은 바보 같은 일도,

이상한 일도 아니야. 사람마다 무서워하는 대상과 까닭이 서로 다를 뿐이란다.

무서워하는 것을 만나거나 떠올리면 어떤 일이 벌어질까?

마음이 편하지 않고 잔뜩 긴장하게 될 거야. 그래서 몸이 굳은 것처럼 제대로 움직이지 않을 수도 있고, 추운 것처럼 몸을 덜덜 떨 수도 있어.

너무 무서우면 머릿속이 하얘져서 아무 생각이 안 나기도 해. 또 평소라면 거뜬히 할 수 있는 일인데, 어떻게 해야 할지 몰라서 우왕좌왕할 수도 있어.

무서운 일을 겪게 되면 잠깐 눈을 감고 숨을 깊게 들이마셔 봐. 그렇게 마음이 조금 가라앉으면 팔다리를 쭉 뻗어서 굳었던 몸을 풀어 주렴.

무서운 마음을 이겨 내는 특별한 방법은 많은 경험을 쌓는 거란다.

혹시 책을 많이 읽니? 아니면 영화를 좋아하거나 박물관과 미술관에 자주 가니? 아니면 여행을 즐기니?

다양한 활동은 경험의 폭을 넓혀 준단다. 더불어 지식과 지혜도 함께 쌓이고, 불안한 상황을 이길 수 있도록 해 주지.

다시 말하면, 처음이라서 잘 모르기 때문에 무서울 수도 있는데, 그런 마음을 덜어 주는 데 경험이 큰 도움이 될 거야.

그러니까 지금부터라도 책을 많이 읽거나 신문과 잡지, 영화, 여행 등을 통해 많은 경험을 쌓길 바라.

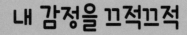

내 감정을 끄적끄적

너는 언제

공포라는

감정을 느꼈니?

예전에는 무서웠는데 지금은 무섭지 않은 것이 있니?
어떤 일을 겪고 마음이 변했는지 생각해 보자.

용기와 자신감이 생기는 주문

'비비디 바비디 부', '하쿠나 마타타', '수리수리 마수리' 이 말들의
공통점은 무엇일까? 맞아, 바로 주문이야.

주문은 내가 원하는 것을 이루기 위해 입으로 외는 글귀를 말하
지. 그럼, 이 주문들은 어떤 뜻인지 하나씩 살펴볼까?

먼저 '비비디 바비디 부'는 동화 『신데렐라』에 나오는 주문이야.
신데렐라가 파티에 갈 수 있도록 도와주는 요정이 외는 주문이지.
이 주문을 외면 생각과 소망이 이루어진대.

'하쿠나 마타타'는 유명한 만화영화인 「라이온 킹」에 나오는 주문
이야. 아프리카 케냐와 탄자니아 지역에서 쓰는 스와힐리 말로, '걱
정거리가 없다'는 뜻이라고 해.

'수리수리 마수리'는 불교와 관련이 있는 주문이야. 『천수경』이라
는 불교책에 '수리수리 마하수리 수수리 사바하'라는 구절이 있어.

이 말을 연이어 세 번 외면 입으로 지은 모든 잘못이 깨끗하게 씻어

진대.

어때? 이 주문들을 읊조려 보니 걱정이 사라지고 원하는 일을 이

룰 수 있을 것 같지 않니? 그렇다면 우리도 한번 주문을 만들어 볼

까? 좋은 뜻을 가진 주문을 외다 보면 저절로 기분이 좋아지고 더불

어 용기와 자신감도 커질 거야.

 나만의 방법을 댓글로 달아 줘!

말하면 힘이 나는 주문을 알려 줄래?

└, 나는 아침에 일어나면 '오늘은 좋은 일이 있을 거야!'라고
   주문처럼 말해.

└,→

└,→

└,→

└,→

└,→

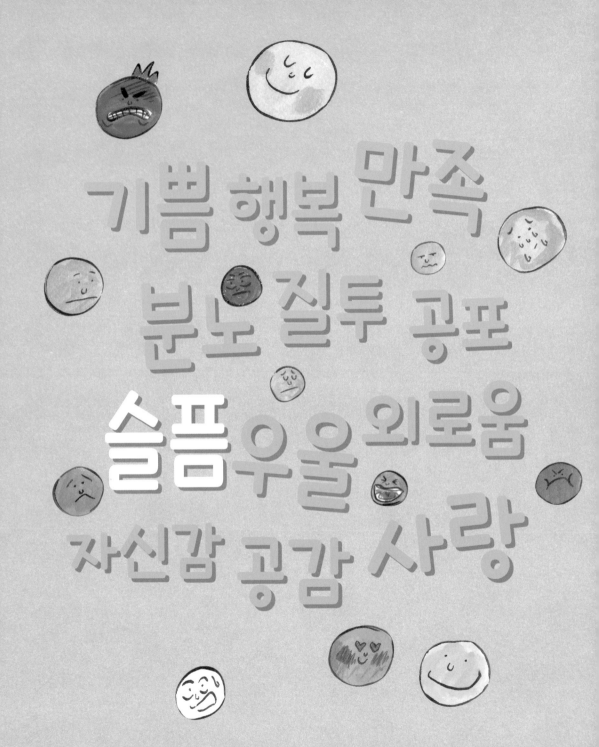

지금
내 감정은?

슬픔 | 불쌍한 일이나 답답한 일을 보거나 겪어서 울 것 같

은 마음.

일곱 번째 감정

슬픔

이번에는 '슬픔'이라는 감정에 대해 이야기할 차례구나. 너희는 평소에 슬픈 감정을 자주 느끼니?

너무 자주 울어서 '울보'라는 별명을 가지고 있다고? 괜찮아. 우는 건 나쁘지 않아. 오히려 울어야 할 때 울지 못하는 것이 마음 건강에 해롭단다.

슬픈 일이 있어서 울어야 할 때는 충분히 우는 것이 좋아.

그런데 다른 누군가에 의해서, 또는 어떤 일이 생겨서 슬픔을 억누를 때도 있을 거야. 그렇다면 나중에라도 반드시 슬픔을 표현하길 바라. 만약 그렇게 하지 않으면 슬픔이 한꺼번에 밀려와서 눈물이 아무 때나 나올 수도 있으니까 말이야.

특히 남자 친구들! 아직도 남자라면 일생에 딱 세 번만 울어야 한다는 말을 믿는 건 아니지? 이 말 때문에 우리 할아버지들, 아버지들은 감정 표현을 잘하지 못했어. 슬픔을 억지로 참는 것은 건강하지 못한 거야. 누구나 감정을 자유롭게 표현할 수 있어야 해.

'외로워도 슬퍼도 나는 안 울어. 참고 참고 또 참지 울긴 왜 울어.'

「들장미 소녀 캔디」라는 만화의 주제곡이야. 만약 이 노랫말처럼 외로워도 슬퍼도 울지 않고 참고 참고 또 참기만 하면 어떻게 될까? 만화 주인공 캔디는 행복하게 잘 살게 되었지만, 실제로 그렇게 산다면 마음이 아프고 우울해져서 병에 걸릴 수도 있단다.

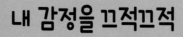

내 감정을 끄적끄적

너는 언제
슬픔이라는
감정을 느꼈니?

슬픈 일 때문에 아직도 힘들다면
마음속 너를 위로하는 편지를 써 보자.

지금
내 감정은?

우울 | 걱정이 많아서 답답하고 기분이 가라앉는 마음.

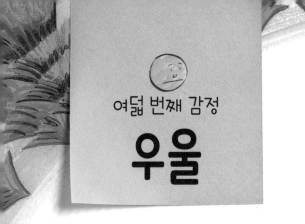

여덟 번째 감정

우울

　사람 마음은 참 복잡해. 그래서 마음이 어떤지 섣불리 헤아릴 수도 없고, 정확히 알아맞히기는 더욱 어렵지. 그런데 재미있는 사실은 마음이 날씨에 따라서 바뀔 수 있다는 거야. 사람마다 다르기는 하지만 일반적으로 화창한 날씨를 좋아한대. 그리고 구름이 껴서 흐리거나 비가 내리는 날에 평소보다 우울한 기분이 든다는 연구 자료가 있다고 해.

　우울한 마음이 커지면 우울증에 걸릴 수 있는데, 요즘은 우울증으로 힘들어하는 아이들이 많다고 해. 가장 큰 원인은 공부 때문에 스트레스를 받아서래.

너희도 겪고 있겠지만 학교 공부는 물론이고, 학원에 가고 과외도 해야 하니 하루가 무척 바쁠 거야. 게다가 성적이 좋아야 하니까 부담을 느끼는 친구들도 많을 거야. 그런 걱정과 불안이 쌓이고 쌓여서 더 우울해지는 것 같아.

　요즘 게임에 빠져 있는 친구들도 많지? 특히 총을 쏘거나 상대방을 공격하는 게임을 좋아하는 친구들은 우울한 마음을 가지고 있는 경우가 많아.

우울한 마음을 제대로 풀지 못하니까 답답하고, 그런 스트레스를 게임으로 푸는 거지. 하지만 알아 두렴. 게임은 할 때만 잠깐 재밌고, 막상 우울한 마음을 온전히 달래 주지는 못해.

우울한 마음을 푸는 가장 좋은 방법은 몸을 건강하게 만드는 거란다.

몸이 건강해지면 마음도 건강해지거든.

놀이나 운동, 여행은 어떠니? 하고 나면 마음이 후련해지고 새로운 활력이 생기는 일을 찾아보자!

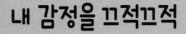

내 감정을 끄적끄적

너는 언제
우울이라는
감정을 느꼈니?

만약에 친구가 기분이 처지고 아무것도 하고 싶지 않다고
말한다면, 나는 어떻게 해야 할까?

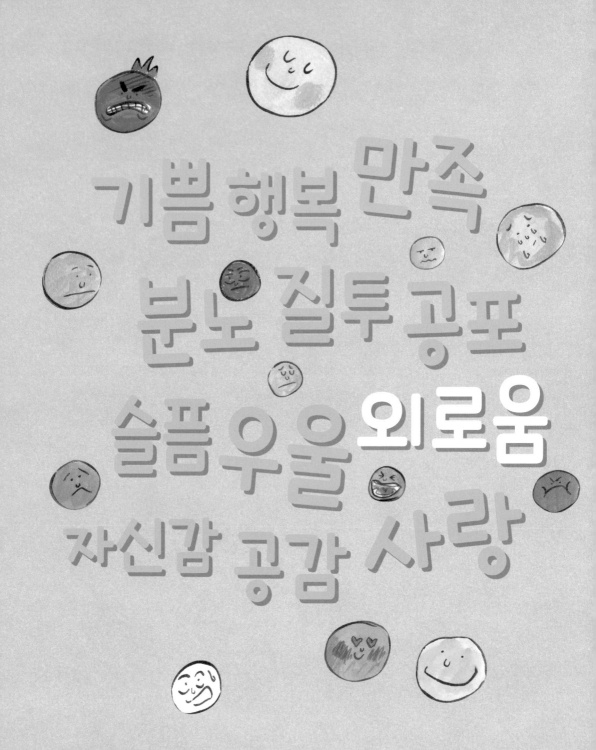

지금
내 감정은?

마음 주머니에 채울 **아홉 번째 감정**

외로움 | 혼자라고 느껴서 쓸쓸한 마음.

아홉 번째 감정

외로움

혹시 '프리 허그(Free Hug)'를 알고 있니?

사람들이 많이 지나다니는 길에 서서 '안아 드립니다!'라고 쓰인 팻말을 들고 기다리다가 포옹을 부탁하는 사람이 있으면 따뜻하게 안아 주는 캠페인을 말해.

나도 지나가면서 프리 허그 팻말을 든 사람들을 몇 번 본 적 있는

데, 생각보다 많은 사람들이 포옹을
하는 거야.

　그래서 생각해 봤어. 저 사람들은
왜 모르는 사람과 포옹을 하는 걸까?
혹시 외로워서 그런 건 아닐까?

　만약 지구에 100명의 사람이 산다
면, 100개의 외로움이 있대. 사람은 모두가 혼자이기
때문에 누구나 외롭다는 거야.

나를 무척 사랑해 주는 부모님과 친척들, 속마음을 털어놓을 수 있는 친구들, 게다가 무엇이든 챙겨 주는 든든한 선생님도 있는데, 무슨 말인가 싶지?

그런데 철학자들이 말하길, 사람은 원래 외로운 존재래.

이게 무슨 뜻이냐면, 누구나 사랑과 관심을 받고 싶어 하는데 그게 뜻대로 잘되지 않기 때문에 누구나 외로움을 느낀다는 거야.

그러니까 외로움을 느끼지 않도록 우리 모두 서로를 챙겨 주자.

너는 언제

외로움이라는

감정을 느꼈니?

주변에 외로운 사람들이 있니?
어떻게 도우면 좋을지 함께 생각해 보자.

우울할 때는 행복한 일을 찾자

외롭고 슬프고 우울한 이야기를 들으면 끝이 보이지 않는 어두운 터널을 걷는 기분이 들지? 그래도 그런 힘든 감정 이야기를 통해 다른 사람의 마음을 조금 더 이해할 수 있게 된다면, 내가 먼저 손을 내밀어 도와주게 될 거야. 슬픔은 나누면 반이 된다는 말이 있잖아. 아무래도 무거운 감정들은 서로서로 덜어 줄 필요가 있어.

그렇다면 우울할 때 무엇을 하면 좋을까?

우선 아이스크림이나 초콜릿을 먹어 보자. 스트레스를 받거나 기분이 좋지 않을 때 단 음식이 도움이 된대. 단 음식을 먹으면 '세로토닌'이 몸속에 생기는데, 이것은 기분을 좋게 만들어서 행복 물질이라고 부르기도 한단다.

그리고 우울할 때는 따뜻한 햇볕을 쐬면 정말 좋단다. 햇볕을 충분히 쐬면 우리 몸속에 비타민D가 자연스럽게 생기면서 활기가 넘치고 몸이 건강해진다고 해.

　이제부터 우울한 일이 생기면 친한 친구들을 만나, 햇볕이 잘 드는 자리에 앉아, 단 음식을 먹으며 고민을 털어놓아 보자. 그러면 우울한 감정은 언제 있었냐는 듯이 사라져 버릴 거야.

　부모님이 볕 좋은 날에 이불을 널어 그 안에 있는 세균을 없애지? 그런 것처럼 우리도 마음에 있는 좋지 않은 감정들을 말려 버리자. 싹 말끔히!

 나만의 방법을 댓글로 달아 줘!

우울할 때 어떤 일을 하면 기분이 좋아질까?

└ 나는 우울할 때 좋아하는 음악을 크게 틀고 춤을 춰!

└

└

└

└

└

지금
내 감정은?

자신감 | 어떤 일을 잘 해낼 수 있다고 스스로 굳게 믿는
마음.

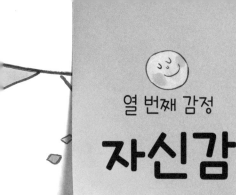

열 번째 감정

자신감

우리 마음속에는 수많은 감정들이 있어. 그렇기 때문에 이 감정들을 모두 잘 안다, 잘 다스릴 수 있다고 말하기는 어렵지.

하지만 차근차근 알아 가니까 조금씩 자신감이 생기지? 어떤 감정이 찾아와도 잘 다룰 수 있다는 자신감 말이야!

이번에는 '자신감'이라는 감정을 이야기해 줄게.

자신감은 말 그대로 어떤 일에 대해 자신 있는 마음이지. 용기나 도전이라는 말이 함께 떠오를 거야. 반대로 거만하거나 건방지다, 허풍, 허세 등이 떠오르기도 해.

　　적당한 자신감은 믿음직스럽고 좋지만, 지나친 자신감은 오히려 불안을 감추려는 허풍으로 보일 수도 있어.

　　자신감이 있어도 겸손한 모습을 보이면, 만약 결과가 좋지 못해도 사람들이 위로해 주고 응원해 줄 거야. 그런데 잘난 척을 하다가 실수하거나 실패하면 사람들은 잘됐다는 마음을 가지고 너한테서 멀어질 수도 있어. 그래서 자신감은 알맞게 내보여야 하는 감정이란다.

그럼 이번에는 자신감이 없다고 생각하는 친구들, 손들어 볼래? 함께 자신감을 불러일으켜 보자. 한번 눈을 감고 정말 하고 싶었던 일을 이룬 네 모습을 그려 봐. 더불어 그때의 마음이 어떨지도 짐작해 보렴.

뿌듯하지? 이 세상에 태어난 모든 사람들은 다 쓸모가 있단다. 그러니까 부족하다며 자책하지 말고 꿈을 가지고 열심히 노력하길 바라.

자신감을 갖고 힘내렴. 미래에 펼쳐질 네 꿈을 위해서!

내 감정을 끄적끄적

너는 언제

자신감이라는

감정을 느꼈니?

1등을 한 적이 없더라도 스스로 잘할 수 있다고 생각하는 것을 소개해 보자.

지금
내 감정은?

공감 | 다른 사람의 생각이나 기분을 마치 내가 겪는 것처럼 느끼는 마음.

열한 번째 감정
공감

생활하면서 자주 쓰는 말 가운데 '이해가 된다'는 말이 있어. 이 말은 머리로 알게 됐다는 뜻이야. 반면 '공감이 간다'는 말은 가슴으로 알게 됐다는 뜻이지. 비슷한 것 같으면서도 다르지?

공감 능력은 관계를 맺어 나가는 데 꼭 필요해. 하지만 쉽게 얻기는 힘들어. 게임을 할 때도 좋은 아이템은 레벨이 높아지거나 돈이 많아야 겨우 얻을 수 있잖니. 공감 능력도 마찬가지로 오랫동안 노력을 해야 얻을 수 있어.

그렇다면 어떻게 해야 공감 능력이 생길까?

무엇보다 다른 사람의 마음을 진심으로 받아들이는 자세가 필요해.

더불어 내가 저 사람이었다면 어땠을지 생각해 보는 거지. 그러다 보면 그 사람의 마음을 잘 헤아릴 수 있을 거야.

내 말도 잘 들어 주고 마치 자기가 겪은 일인 것처럼 나를 대신해서 후련하게 반응해 주는 친구들이 있지? 그 친구들은 공감 능력이 뛰어난 거야. 그러다 보니 아마 주변에 친구들도 많을걸? 이야기를 잘 들어 주는 데다가 마치 내 마음을 읽은 것처럼 가려운 곳을 시원하게 긁어 주니까 얼마나 좋겠니.

그나마 같은 또래 친구들과는 서로 이야기가 잘 통해서 공감하기가 쉬울 거야. 그런데 부모님과 이야기를 하다 보면 뭔가 조금 답답하다는 마음이 들 수 있어.

그럼 왜 이런 일이 벌어질까? 부모님과 내가 서로 공감하는 부분이 다르기 때문이야. 나이도 차이가 있고, 각자 자란 시대와 환경이 다르기 때문에 관심 분야가 다를 수밖에 없는 거지. 그래도 서로를 조금 더 이해하고 공감하려고 노력한다면 부모님과 더욱 가까워질 수 있을 거야.

너는 언제
공감이라는
감정을 느꼈니?

주말에 가족끼리 둘러앉아 서로의 고민을 들어 주고,
고민을 해결할 수 있는 방법을 함께 이야기해 보자.

지금
내 감정은?

사랑 | 어떤 사람이나 사물 등을 아끼고 따스하게 여기는
마음.

열두 번째 감정

사랑

벌써 마지막 감정이구나.

어때? 마음속에서 여러 가지 감정들이 꿈틀대는 걸 느낄 수 있었니? 마지막으로 '사랑'이라는 감정을 소개할 수 있어서 기뻐. 앞서 소개한 열한 개의 감정들을 아우를 수 있는 감정이 바로 사랑이라고 생각하거든.

우리에게 사랑이라는 감정이 없었다면 어땠을까? 사람들이 서로 사랑하는 감정을 가지지 않고 살아간다면 어떨지 상상해 봐. 정말 끔찍하지 않니?

엄마와 아빠도 사랑으로 만났어. 그 결실로 우리가 태어났고, 지금 이렇게 무사히 잘 살고 있는 거지. 그리고 우리가 사회로 나갈 때까지 부모님의 깊고 특별한 사랑은 계속될 거야. 그렇게 사랑 속에서 자란 우리는 또 누군가를 사랑할 테고, 또 다른 생명을 태어나게할 거야. 사랑의 힘은 정말 위대하지 않니?

결국 사람들은 사랑으로 태어나서 사랑의 힘으로 서로 이어져 있는 셈이야.

그러니까 가까이에 있는 사람한테 먼저 다가가 사랑한다고 말하렴.

쑥스러워서 그동안 말하지 못했다면, 용기를 내 봐. 참된 마음을 담아 사랑한다고 말하면, 상대방은 분명 그 말 한마디에 큰 감동을 받을 거야.

자, 주위를 둘러봐. 지금 우리 옆에는 정말 많은 사랑이 있어. 부모님이 한결같이 주는 사랑, 선생님들이 주는 따뜻한 관심, 친구들과 나누는 우정이 모두 사랑이야. 그리고 그 모든 사랑이 모여 이 세상을 아름답게 만든단다.

마지막으로 함께 외쳐 볼까? 하나, 둘, 셋, 모두 모두 사랑하세요!

내 감정을 끄적끄적

너는 언제

사랑이라는

감정을 느꼈니?

지금 사랑하는 사람한테 어떤 말을
전하고 싶은지 생각해 보자.

좋은 감정들을 내 것으로 만들려면

  자신감, 공감, 사랑…… 이 감정들은 듣기만 해도 기분이 좋아지지? 이렇게 긍정적인 감정들을 자기 것으로 만들 수 있는 방법을 알려 줄게.

  첫째, '나는 할 수 있다!', '나는 괜찮은 사람이다!'라는 문장을 소리 내어 읽어 보렴. 어렵지 않지? 그럼 이 문장을 외운 뒤 자신감이 필요할 때마다 떠올려 봐. 그러면 자신감이 늘 네 곁에 머물 거야.

  둘째, 공감을 잘하기 위해서는 먼저 상대방 말에 귀를 기울여야 해. 몸을 그 사람 쪽으로 약간 숙이고, 잘 듣고 있다는 신호로 고개를 끄덕이거나 "그랬구나." 하고 틈틈이 말해 주면 더 좋아. 상대방 이야기가 끝나면 들은 내용을 바탕으로 그 사람의 기분이 어땠을지 생각해 보면서 위로나 격려를 해 주면 돼. "괜찮아.", "잘될 거야." 같은 말 한마디가 사람 관계를 따뜻하게 만들어 준단다.

셋째, 사랑하는 사람한테 "사랑해!"라고 표현하자. 그래야 오해 없이 감정이 잘 전달돼서 상대방도 너를 사랑하게 될 거야. 더불어 "고마워!"라든가 "행복해!"라는 말도 자주 해 준다면, 서로 좋은 감정이 생기고, 둘 사이가 좀 더 가까워질 거야.

 나만의 방법을 댓글로 달아 줘!

지금보다 더 멋진 사람이 되기 위해 너는 어떤 노력을 하니?

┗ 나는 늘 웃으려고 노력해.

┗

┗

┗

┗

┗

2장

내 마음을
전할 수 있는
65가지
감정 표현 사전

우리말에는 감정을 표현하는
말들이 참 많아.
'기쁨'이라는 감정을 표현할 때만 해도
'즐겁다', '반갑다', '흥겹다' 등
여러 말을 쓸 수 있지.
너는 지금 어떤 기분이니?
그 감정을 잘 전할 수 있도록
나와 함께 감정 표현 단어들을
정확하게 익혀 보자.

우리가 느끼는
감정들을
말해 줄게요!

[일러두기]

1. 다양한 감정 표현 단어 가운데 어린이 여러분이 일상생활에서 자주 쓰는 단어 65가지를 뽑아서 가나다순으로 엮었습니다.
2. 누구나 감정 표현 단어를 쉽게 이해하고 잘 쓸 수 있도록 정확한 뜻과 예시 상황을 넣었습니다.
3. 예시 상황은 어린이 여러분이 공감할 수 있도록 또래 친구들의 경험을 바탕으로 정리했습니다.

감동하다 | 깊이 느껴서 움직이는 마음.

생일날 친구들을 집에 초대했는데, 엄마가 맛있는 음식을
푸짐하게 준비해 주어서 감동했어요.

고맙다 | 다른 사람이 친절하게 대해 주거나 도와줘서 즐거운 마음.

무거운 짐을 들고 힘들게 걷고 있는데, 친구가 다가와 짐을
함께 들어 주었어요. 도와줘서 무척 고마웠어요.

괴롭다 | 힘들어서 무언가를 하기 어려운 마음.

학교 수업을 마치고 집에 돌아왔는데, 오늘 가야 할 학원이
세 곳이나 남아 있을 때 괴로웠어요.

귀찮다 | 마음에 들지 않아서 성가신 마음.

나는 할 일이 있는데, 동생이 옆에서 자꾸만 놀아 달라면서
칭얼대고 조를 때 귀찮았어요.

그립다 | 아주 많이 보고 싶거나 만나고 싶은 마음.

내가 아기였을 때부터 함께 지낸 강아지 까망이가 얼마 전에 죽었어요. 까망이가 그리워서 눈물이 나요.

긴장하다 | 분위기가 평온하지 않아서 정신을 바짝 차리게 되는 마음.

수업 시간에 친구들 앞에서 발표를 해야 하는데, 실수하지 않고 잘해야겠다는 마음이 앞서니까 잔뜩 긴장했어요.

끔찍하다 | 무섭거나 놀랄 만한 것을 봐서 몸이 떨리는 것 같은 마음.

찻길에서 자동차에 치여 피를 흘리는 고양이를 봤어요. 너무 끔찍했어요.

ㄴ

나른하다 | 몸이 피곤해서 기운이 없는 마음.

 세 시간 동안 축구를 하고 집에 돌아와서 몸을 씻고 저녁을 먹고 나니까 기분이 나른했어요.

놀라다 | 뜻밖에 일을 겪어서 가슴이 두근거리는 마음.

 한밤중에 갑자기 '우르르 쾅!' 하고 천둥이 쳐서 깜짝 놀랐어요.

ㄷ

다정하다 | 정이 두터운 마음.

 미술 시간에 필요한 물감을 다 써서 그림을 어떻게 완성해야 하나 애태우는데, 짝꿍이 자기 물감을 얼마든지 써도 된다고 다정하게 말했어요.

답답하다 | 걱정이 되어서 갑갑한 마음.

 친구가 수학 문제를 어떻게 풀어야 하는지 물어봐서 설명해 주었는데, 잘 이해하지 못하는 거예요. 같은 이야기를 세 번이나 하게 되어서 답답했어요.

당황하다 | 너무 놀라서 어찌해야 할지 모르는 마음.

 혼자 아무도 몰래 좋아하는 친구가 어느 날 갑자기 "너 나 좋아하지?"라고 말해서 당황했어요.

두렵다 | 어떤 것을 피하고 싶어서 꺼리는 마음.

 집에 가는 길에 중학생 형들이 마구 욕을 하면서 모여 있는 거예요. 그 옆을 혼자 지나갈 때 살짝 두려웠어요.

떳떳하다 | 굽힐 것이 없어서 당당한 마음.

 선생님이 갑자기 숙제 검사를 했는데, 나는 숙제를 해 와서 떳떳했어요.

망설이다 | 이리저리 생각만 하고 어떻게 해야 할지 결정하지 못하는 마음.

 새 학년이 돼서 한 학기 동안 반을 이끌 회장을 뽑는데, 후보로 나설지 말지 한참을 망설였어요.

무섭다 | 무슨 일이 일어날까 봐 겁이 나는 마음.

 공포 영화를 보고 나서 방에 들어와 불을 끄고 누웠는데, 잠은 오지 않고 자꾸 영화 장면이 생각나서 무서웠어요.

무시하다 | 다른 사람을 얕잡아 보거나 하찮게 여기는 마음.

 같은 반 아이가 자꾸 내가 싫어하는 별명으로 나를 불렀어요. 나를 무시하는 것 같아 화가 났어요.

미안하다 | 무언가 잘못해서 부끄럽고 편하지 않은 마음.

 집에서 키우는 강아지가 자꾸만 큰 소리로 짖어서 이웃한테 미안했어요.

밉다 | 모양이나 생김새, 행동이 눈에 거슬리는 마음.

아빠가 시험을 잘 보면 선물을 사 주기로 약속했어요. 그래서 열심히 공부해서 좋은 점수를 받았는데, 아빠가 약속을 지키지 않아서 미웠어요.

ㅂ

반갑다 | 보고 싶은 사람을 만나거나, 바라고 기다리던 일이 이루어져서 기쁜 마음.

추석 때 할머니 집에 가서 보고 싶었던 친척들을 오랜만에 만나서 무척 반가웠어요.

부끄럽다 | 일을 그릇되게 해서 떳떳하지 못한 마음.

지각할 것 같아서 신호등이 빨간불일 때 횡단보도를 건넜는데, 그 모습을 동생이 봐서 부끄러웠어요.

부담스럽다 | 어떤 일에 책임을 져야 할 것 같은 마음.

부모님이 모임에 가야 한다면서 동생을 잘 챙기라고 여러 번 부탁해서 부담스러웠어요.

분하다 | 될 듯한 일이 마음대로 되지 않아서 섭섭하고 화가 나는 마음.

 옆 반과 축구 시합을 했는데 한 골 차이로 우리 반이 져서 분했어요.

불쌍하다 | 힘들거나 아파 보여서 가엾게 여기는 마음.

 아파도 치료를 제대로 받지 못하는 아프리카 아이들을 텔레비전에서 봤어요. 너무 불쌍해서 마음이 아팠어요.

불안하다 | 조마조마하고 뒤숭숭해서 편하지 않은 마음.

 처음 수학여행을 가는데, 한 번도 집을 떠나서 잠을 자 본 적이 없어서 혹시 무슨 일이 생길까 봐 불안했어요.

불편하다 | 다른 사람과 관계가 편하지 않아서 괴로운 마음.

 친구랑 심하게 말다툼을 하고, 다음 날 학교 가는 길에 마주쳤을 때 불편해서 괜히 눈을 피하고 모르는 체했어요.

뻔뻔하다 | 잘못했는데도 부끄러워할 줄 모르는 마음.

앞에 앉은 친구가 시험 볼 때 다른 친구 시험지를 몰래 보고 베꼈어요. 그런데 베끼지 않았다고 말해서 뻔뻔하다고 생각했어요.

뿌듯하다 | 아주 기뻐서 벅찬 마음.

이번 학기에 책 100권을 읽고 독서 감상문을 쓰기로 목표를 세웠는데, 그것을 해내서 뿌듯했어요.

ㅅ

상쾌하다 | 기분이나 느낌이 시원하고 산뜻한 마음.

오랜만에 엄마가 깨워 주지 않고 스스로 일어나서 창문을 열고 숨을 크게 들이마셨더니 상쾌했어요.

서럽다 | 슬픈 일이 생겨서 울고 싶은 마음.

내가 집에 늦게 들어왔더니 가족끼리 치킨을 먹고 내 것은 하나도 남겨 놓지 않아서 서러웠어요.

설레다 | 마음이 가라앉지 않고 들떠서 두근거리는 마음.

 내가 좋아하는 친구와 짝꿍이 되어서 마음이 설렜어요.

속상하다 | 걱정이 되거나 화가 나서 편하지 않은 마음.

 나는 그림을 잘 그려서 미술대회에 나가고 싶었는데, 선생님이 영어말하기대회에 나가라고 해서 속상했어요.

수줍다 | 숫기가 없어 다른 사람 앞에서 말이나 행동을 하는 것이 어려운 마음.

 우리 집에 온 이웃 아주머니가 나보고 잘생겼다고 칭찬해 주었어요. 그런데 너무 수줍어서 감사하다는 인사도 못 하고 방으로 쏙 들어와 버렸어요.

신나다 | 어떤 일에 흥이 나서 기분이 좋아지는 마음.

 기다리고 기다리던 소풍날이 다가왔어요. 날씨도 좋고, 놀이공원에서 놀이기구 탈 생각을 하니까 신나서 콧노래가 절로 나왔어요.

실망하다 | 바라는 일이 뜻대로 이루어지지 않아서 몹시 언짢은 마음.

 외국 출장을 다녀온 엄마가 멋진 선물을 사 올 거라고 바랐
는데, 아무것도 사 오지 않아서 실망했어요.

심심하다 | 할 일이 없어서 지루하고 재미가 없는 마음.

 엄마 친구들 모임에 따라갔는데 같이 놀 사람도 없고 할 일
도 없어서 따분하고 심심했어요.

쑥스럽다 | 어울리지 않다고 여겨서 행동이 자연스럽지 않고 멋쩍은 마음.

 다리를 다친 친구가 힘들어 보여서 가방을 한 번 들어 주었
을 뿐인데, 선생님이 반 아이들 앞에서 칭찬해 줘서 쑥스러
웠어요.

쓸쓸하다 | 외로워서 텅 빈 것 같은 마음.

 반에서 인기투표를 했는데, 내 이름이 한 표도 나오지 않아
서 마음이 쓸쓸했어요.

ㅇ

아쉽다 | 필요할 때 없거나 모자라서 만족스럽지 못한 마음.

> 라면 한 봉지를 끓여서 맛있게 먹었는데 배가 덜 찬 듯해서
> 아쉬웠어요.

아프다 | 몸이 다쳐서 괴롭거나 슬픈 일이 생겨서 무거운 마음.

> 독감 예방주사를 맞았는데, 너무 아파서 눈물이 찔끔 나왔
> 어요.

안타깝다 | 뜻대로 되지 않거나 보기에 딱해서 답답한 마음.

> 가수가 되고 싶어서 오디션을 보러 다니는 친구가 있어요. 그런
> 데 자꾸만 떨어져서 안타까웠어요.

얄밉다 | 자기한테만 이롭게 꾀를 부려서 안 좋아 보이는 마음.

> 나는 열심히 노력했는데도 상을 못 받았어요. 그런데 상을
> 받은 친구는 어쩌다 받은 거라고 자랑하고 다녀서 얄미웠
> 어요.

어색하다 | 잘 모르거나 만나고 싶지 않은 사람과 마주해서 서먹서먹한 마음.

 전학 온 아이와 짝이 되었는데, 서로 어색해서 하루 종일 한 마디도 나누지 못했어요.

억울하다 | 잘못하지 않았는데 꾸중을 들어서 화가 나고 답답한 마음.

 언니가 먼저 시비를 걸어서 싸웠는데 엄마가 내 잘못이라고 말하니까 억울해서 기분이 좋지 않았어요.

예쁘다 | 생긴 모습이나 행동이 사랑스럽고 보기 좋다고 느끼는 마음.

 집에서 고양이를 기르게 되었는데, 내가 밥을 주면 싹싹 먹어 치우는 모습이 예뻐서 쓰다듬어 주었어요.

우쭐하다 | 바라는 대로 이루어져서 만족한 얼굴로 크게 뽐내고 싶은 마음.

 아무도 기대하지 않았는데, 운동회 달리기 시합에서 1등을 한 거예요. 친구들이 칭찬해 주니까 우쭐해져서 제자리에서 펄쩍펄쩍 뛰었어요.

자랑스럽다 | 스스로 뽐낼 만한 일을 해서 다른 사람한테 드러내고 싶은 마음.

 학교에서 급식을 먹을 때 언제나 밥과 반찬을 먹을 만큼만 담고 남기지 않아요. 작은 일이지만 환경 보호에 앞장선다고 생각해서 스스로가 자랑스러웠어요.

자신만만하다 | 어떤 일을 해낼 수 있다는 믿음이 단단하고 넘치는 마음.

 오늘 배울 공부를 미리 익혀 와서 수업 시간에 선생님이 질문을 했을 때 자신만만하게 손을 번쩍 들었어요.

조마조마하다 | 앞으로 닥칠 일이 걱정되어서 애가 타는 마음.

 오늘은 게임을 하지 않기로 엄마랑 약속했는데, 몰래 게임을 하다가 집에 일찍 들어온 엄마한테 딱 걸렸어요. 혼날 것 같아서 정말 조마조마했어요.

즐겁다 | 무엇을 하면서 흐뭇하고 기쁜 마음.

 아주 좋아하는 가수가 콘서트를 열었는데, 무대가 잘 보이는 자리에서 공연을 보게 되어서 즐거웠어요.

지겹다 | 몹시 싫어서 지루해지는 마음.

 엄마가 방 청소를 하라고 했는데, 괜히 귀찮아서 바로 하지 않았어요. 그랬더니 엄마가 왜 청소하지 않았냐고 열 번이나 잔소리를 해서 지겨웠어요.

짜증스럽다 | 하고 싶지 않아서 화가 북받치는 마음.

 오늘 친구들과 떡볶이도 먹고 게임도 하면서 실컷 놀기로 했는데, 선생님이 숙제를 많이 내주어서 짜증스러웠어요.

ㅊ

창피하다 | 다른 사람 앞에 떳떳하지 못해서 고개를 들 수 없는 마음.

 아빠가 술에 취해서 아파트 단지 입구에서부터 내 이름을 큰 소리로 부를 때 창피했어요.

충격받다 | 슬픈 일이나 무서운 일을 뜻밖에 겪어서 많이 놀란 마음.

 평소 착하다고 생각했던 친구가 다른 친구한테 심한 욕을 하는 모습을 우연히 보고 충격받았어요.

ㅋ

캄캄하다 | 바라는 일이 이루어지지 않을 것 같아서 힘든 마음.

시험이 시작되고 시험지를 받았는데, 아는 문제가 하나도 없어서 한숨이 나오고 눈앞이 캄캄했어요.

켕기다 | 일이 잘 풀리지 않을까 봐 겁이 나는 마음.

목욕탕에 들어갈 때 엄마가 내 나이를 속이고 유아 요금을 냈어요. 나는 켕겨서 얼굴을 푹 숙였어요.

ㅌ

토라지다 | 못마땅해서 싹 돌아서고 싶은 마음.

늘 함께 집에 가는 친구들이 나를 기다려 주지 않고 먼저 가 버렸어요. 토라져서 한참 동안 기분이 나빴어요.

통쾌하다 | 아주 즐겁고 시원한 마음.

친구가 나보고 공부를 못한다고 자꾸만 놀렸어요. 그 대신 나는 글을 잘 써서 전국 글짓기대회에서 상을 받았지요. 친구한테 상을 보여 줄 때 통쾌했어요.

ㅍ

포근하다 | 감정이나 분위기가 보드랍고 따뜻해서 편안하게 느끼는 마음.

추운 겨울에 밖에 나갔다가 집에 돌아와서 따뜻한 이불 속에 쏙 들어갔더니 포근했어요.

피곤하다 | 몹시 지쳐서 힘든 마음.

부모님과 함께 북한산 꼭대기까지 올라갔다 오니까 즐겁기도 했지만, 무척 피곤했어요.

ㅎ

허무하다 | 꿈이나 뜻이 없어서 매우 쓸쓸한 마음.

학교에서 학예회를 한다고 해서 노래와 춤을 열심히 연습했는데, 갑자기 다른 일 때문에 학예회가 취소되었다는 소식을 들어서 허무했어요.

홀가분하다 | 성가신 일이 없어서 가뿐하고 시원한 마음.

오랫동안 열심히 준비했던 한자 시험을 보고 나니까 홀가분했어요.

후회하다 | 잘못을 깨우치고 뉘우치는 마음.

시험 전날에 밤을 새면서 벼락치기로 공부하는데 너무 힘들었어요. 공부를 미리미리 하지 않아서 후회했어요.

흐뭇하다 | 모자란 점도 없고 자랑스럽기도 해서 매우 기분이 좋은 마음.

4살 먹은 사촌 동생한테 영어 인사말을 가르쳐 주었는데, 그 말을 잊어버리지 않고 나를 만날 때마다 해 주어서 흐뭇했어요.

흥겹다 | 매우 흥이 나서 즐거운 마음.

친구들과 노래방에 가서 다 함께 큰 소리로 신나게 노래를 불렀어요. 흥겨워서 춤이 절로 나왔어요.

3장

내 마음의
주인이 되는
감정 일기

내 마음을 다른 사람한테 이야기하려니까

부끄럽고, 막상 이야기를 한다고 해도

상황이 달라지지 않을 것 같아서

감정을 표현하기 힘들었지?

하지만 감정을 꾹 참기만 하면 답답할 거야.

자칫 마음에 병이 생길 수도 있어.

자, 내가 선물을 줄게.

바로 감정 일기장이야!

함께 감정 일기를 써 보지 않을래?

감정 일기를 쓰면 어떤 점이 좋을까요?

우리는 말, 글, 몸짓 등 다양한 방법으로 마음속 생각이나 느낌을 표현해. 그중 글쓰기는 쓰고 지우고 다시 쓰고 나서 완성된 자신의 글을 읽어 보며 생각을 정리하는 과정을 거치기 때문에, 생각도 깊어지고 표현력도 기를 수 있단다.

일기도 글쓰기의 한 종류야. 보통 일기를 쓰는 까닭은 하루를 반성하기 위해서지. 오늘 겪은 일들 가운데 가장 기억에 남는 일을 적으면서 다시 생각해 보는 거야.

일기 중에서도 '감정 일기'는 겪은 일들 가운데 네 마음을 크게 건드린 일을 쓰는 거야.

그렇다면 왜 감정 일기를 써야 할까?

1	왜 그런 마음이 들었는지 까닭을 스스로 알게 돼.
2	좋은 감정을 떠올리다 보면, 그 기분을 느끼기 위해 더 좋은 일이 생기도록 노력하게 될 거야.
3	좋지 않은 감정을 떠올리면서, 반성하고 해결 방법을 생각해 보면서 감정을 잘 다스리게 될 거야.
4	감정 일기에 감정을 표현하고 나면, 앞으로 힘든 일이 닥쳐도 씩씩하게 이겨 낼 수 있어.

감정 일기를 쓰는 방법

이번에는 감정 일기를 쓰는 방법을 알려 줄게. 감정 일기를 처음 쓰는 친구들은 아래 순서를 따라 써 보렴. 그렇게 매일매일 쓰다 보면 자기만의 방법이 생기게 되고 더 멋진 감정 일기를 쓰게 될 거야.

1   '오늘의 감정 지수'를 점수로 매겨 봐.
    좋음 점수와 나쁨 점수를 총 100점으로 해서 각각 점수를 써 보는 거야.
    예) 😊 50   😣 50

2   '감정 표현 사전'에서 오늘 기분을 표현하는 단어들을 찾아봐.

3   찾은 감정 단어들을 중심으로 일기를 써.

4   일기를 다 쓰고 나서 감정이 어떻게 변했는지 덧붙여 보렴.

20xx년 3월 2일	감정 지수	 100 0
감정 단어	설레다, 신나다, 즐겁다, 흥겹다	

제목 : 파자마 파티

　엄마는 평소에 친구들이 집에 와서 놀고 가는 것은 좋은데, 잠은 함께 잘 수 없다고 하셨다. 그래서 아직 친구와 함께 잠을 잔 적이 없었다. 그런데 내가 4학년이 된 기념으로 집에서 파자마 파티를 해도 된다고 허락해 주셨다. 처음으로 로희와 수아와 태미를 집으로 초대하여 신나게 하룻밤을 보낼 계획을 세웠다. 생각만 해도 설렌다. 만약 친구들이 오면 맛있는 저녁을 먹고, 재빨리 내 방으로 와서 뮤직비디오를 보며 '방과 후 방송 댄스반'에서 배운 대로 흥겹게 춤을 출 것이다. 그리고 즐겁게 보드게임도 하고, 또 배가 고파지면 과자와 음료수도 먹으면서 많은 이야기를 나눌 것이다. 아, 어서 빨리 그날이 왔으면 좋겠다.

일기를 쓴 뒤 느끼는 감정	그날이 빨리 오기를 바라는 마음이 더 커졌다. 친구들한테 당장 말해 주고 기쁨을 함께 나누고 싶다. '기쁨은 나누면 두 배가 된다'는 말뜻을 이제야 알 것 같다.

친구들의 감정 일기 행복

20xx년 4월 5일	감정 지수	 90 10
감정 단어	고맙다, 귀찮다, 답답하다, 자랑스럽다, 뿌듯하다	

제목 : 가족 캠핑

  우리 가족은 캠핑을 자주 간다. 사실 나는 밖에서 자는 것이 싫고 스스로 해야 하는 것들이 많아서 귀찮다. 하지만 캠핑을 좋아하는 부모님 때문에 따라가는 것이다. 그런데 무엇이든 하다 보면 관심이 생기고, 관심이 생기면 좋아하게 되는 것 같다. 왜냐하면 이제는 텐트를 잘 치고, 고기도 잘 굽고, 설거지도 잘하기 때문이다. 이런 내가 참 뿌듯하다. 무엇보다 가장 중요한 건 가족과 함께 캠핑을 간다는 것이다. 가족과 함께 캠핑을 가면 컴퓨터 게임도 못하고 텔레비전도 못 봐서 답답하지만, 캠핑 가서 서로를 잘 챙겨 주고 평소에 하지 못했던 이야기도 나누게 돼서 행복한 마음이 커진다. 그러므로 앞으로도 캠핑이나 여행을 갈 때 열심히 따라가려고 한다. 생각할수록 우리 가족이 고맙고 자랑스럽다.

일기를 쓴 뒤 느끼는 감정	가족을 더 소중하게 여기게 되었다. 그리고 가족이 함께할 수 있는 일이 또 뭐가 있을지 생각해 봐야겠다.

친구들의 감정 일기 만족

20xx년 5월 8일	감정 지수	 90 10
감정 단어	감동하다, 고맙다, 뿌듯하다, 흐뭇하다	

제목 : 고맙습니다

   오늘은 어버이날이다. 그래서 며칠 전부터 동생과 함께 엄마 아빠를 위해 어떤 이벤트를 할까 고민했다. 전에는 주로 손 편지를 써서 읽고 사랑한다며 안아 드렸는데, 이번에는 선물을 드리기 위해 미리 돈을 모았다. 그런데 두 분이 무엇을 필요로 하는지 몰라서 선물 가게에서 한참 망설였다. 오래 고민하다가 결국 엄마는 향수, 아빠는 넥타이를 드리기로 했다. 저녁을 먹고 동생과 함께 선물을 드렸더니 엄마와 아빠는 우리가 다 컸다며 흐뭇해하면서 감동이라고 말씀하셨다. 사실 부모님이 그동안 우리에게 해 주신 것을 생각하면 너무 작은 선물인데 말이다. 엄마 아빠가 좋아하시는 모습을 보니까 마음이 뿌듯했다. 앞으로도 부모님에게 감사한 마음을 자주 표현할 수 있도록 노력해야겠다.

일기를 쓴 뒤 느끼는 감정	늘 나를 따뜻하게 보살펴 주시는 부모님을 위해 더 열심히 효도를 해야겠다는 마음이 들었고, 동생과도 더 사이좋게 지내야겠다는 마음도 생겼다.

20xx년 6월 26일	감정 지수	0　　⊗ 100
감정 단어	분하다, 서럽다, 얄밉다, 짜증스럽다	

제목 : 공정한 경기가 아니었어!

　나는 체육 시간을 좋아한다. 왜냐하면 교실 밖으로 나가 시원한 바람을 쐴 수 있고, 친구들과 운동 경기도 할 수 있기 때문이다. 그런데 체육 시간이 늘 즐거운 것만은 아니다. 오늘은 반 아이들이 두 팀으로 나누어 축구를 하는 날이었다. 그런데 나와 다른 팀인 명재가 영민이를 자기 팀에 데려가겠다고 우겼다. 왜냐하면 영민이는 골잡이라서 영민이가 속하는 팀이 대부분 이겼기 때문이다. 그래서 우리 팀에서도 영민이를 데려오려고 했는데, 선생님의 결정으로 영민이는 명재 팀으로 가게 되었다. 조금 서러웠지만, 열심히 뛰었다. 그렇지만 결국 우리 팀은 10대 0으로 졌다. 정말 짜증이 났다. 선생님이 혼자서 결정해서 분했고, 자기네 팀이 이겼다고 놀리는 명재가 얄미웠다.

일기를 쓴 뒤 느끼는 감정	다음 체육 시간에는 영민이가 우리 팀이 돼서 이겼으면 좋겠다. 그리고 너무 영민이한테만 의지하지 않고 나도 열심히 축구 연습을 해서 실력을 키워야겠다고 다짐했다.

20xx년 7월 13일	**감정 지수**	50	50
감정 단어	괴롭다, 밉다, 부끄럽다, 자랑스럽다		

제목 : 나도 잘하고 싶다!

내 동생 준호는 잘하는 것이 아주 많다. 공부는 물론이고 체육도 잘하고 그림도 잘 그리며 피아노 연주까지 잘한다. 그래서 교내 대회뿐만 아니라 전국 대회에 나가서도 상을 많이 받아 온다. 집 안 곳곳에는 우리가 받은 상이 걸려 있는데, 그중 내가 받아 온 것은 몇 개 되지 않는다. 그래서 나는 준호가 내 동생이라는 점이 자랑스럽다. 더불어 준호가 가끔 밉기도 한데, 그런 생각을 하는 내가 부끄럽기도 하다. 나도 준호만큼, 아니 준호보다 더 잘하고 싶은 마음이 든다. 지금은 마음이 괴롭지만, 열심히 노력할 것이다. 당장 준호를 따라잡을 수는 없겠지만, 준호보다 잘할 수 있는 것을 찾아서 내 자신을 자랑스럽게 생각할 수 있었으면 좋겠다.

일기를 쓴 뒤 느끼는 감정	동생을 질투한다는 것이 부끄럽고 마음이 좋지 않다. 그래도 마음을 가다듬고 나만의 재능이나 장점을 찾을 거라고 생각하니까 위로가 된다.

친구들의 감정 일기 공포

20xx년 8월 29일	감정 지수	😊 25 75
감정 단어	답답하다, 무섭다, 불안하다, 포근하다	

제목 : 악몽아, 물러가라!

　사람들은 좋은 꿈을 자주 꿀까, 나쁜 꿈을 자주 꿀까? 갑자기 이런 궁금증이 생긴 까닭은 내가 나쁜 꿈을 자주 꾸기 때문이다. 꿈속에서 나는 무엇인가에 쫓기고 결국 낭떠러지에서 떨어진다. 꿈에서 깨고 나면 가슴이 마구 두근거리고 불안한 마음이 든다. 엄마는 어딘가에서 떨어지는 꿈은 키가 큰다는 뜻이라면서 나를 위로해 주셨다. 하지만 만약 엄마 말이 맞다면 내 키는 이미 190센티미터가 넘었어야 할 것이다. 이제 겨우 140센티미터가 조금 넘는 정도이니 엄마 말은 틀린 거다. 무서운 꿈을 그만 꾸었으면 좋겠다. 왜 그런 꿈을 꾸는지 답답하기만 하다. 오늘 밤에는 제발 좋은 꿈을 꾸었으면 좋겠다. 기분 좋고 포근한 느낌이 드는 것만 생각하면서 자야겠다.

일기를 쓴 뒤 느끼는 감정	친구들한테 나와 비슷한 꿈을 꾸는지 물어볼 것이다. 만약 나처럼 무서운 꿈을 꾸는 친구가 있다면 함께 이야기해 보면서 혹시 스트레스를 받고 있는 건 아닌지 생각해 봐야겠다.

친구들의 감정 일기 슬픔

20xx년 9월 19일	감정 지수	 10 90
감정 단어	감동하다, 그립다, 쓸쓸하다, 아쉽다	

제목 : 잘 지내길 바랄게!

  오늘 제일 친한 친구 혜림이가 캐나다로 이민을 갔다. 혜림이와 나는 유치원도 함께 다녔고, 가족들이 함께 여행을 다니기도 했다. 그래서 나에 대해 가장 많이 알고 있는 친구였다. 그런 혜림이가 비행기를 타고 12시간도 넘게 가야 하는 먼 나라로 가게 된 거다. 나는 떠나는 혜림이가 슬퍼할까 봐 눈물을 참으려고 했지만 그게 마음대로 되지 않았다. 결국 펑펑 울었고 혜림이가 오히려 나를 위로해 주었다. 나는 혜림이를 위해 우리가 함께했던 사진을 모아 앨범으로 만들어서 선물로 주었다. 그러자 혜림이는 감동했다며 서로 잘 지내다가 방학 때 만나자고 했다. 자주 연락하자는 약속도 했다. 혜림이가 많이 그리울 것 같다. 마냥 쓸쓸하고 아쉽기만 한 하루였다.

일기를 쓴 뒤 느끼는 감정	혜림이가 무사히 도착해서 캐나다에서 잘 적응하기를 바랐다. 나도 혜림이가 걱정하지 않도록 잘 지내기 위해 슬픈 마음을 빨리 이겨내야겠다.

친구들의 감정 일기 우울

20xx년 10월 5일	감정 지수	☺ 15	✕ 85
감정 단어	귀찮다, 지겹다, 짜증스럽다, 충격받다		

제목 : 건강이 최고야!

　우리 엄마는 음식 솜씨가 좋으시다. 그래서 내가 먹고 싶은 것을 말하면 무엇이든 만들어 주신다. 그런데 요새 엄마가 요리해 주신 맛있는 음식을 많이 먹었더니 살이 한 달 만에 10킬로그램이나 쪄서 충격을 받았다. 결국 건강을 위해 살을 빼야 했고, 엄마는 채소 위주의 싱거운 음식만 만들어 주셨다. 그리고 시간을 정해 매일 운동을 하는 계획도 세웠다. 하지만 맛없는 채소나 싱거운 음식만 먹으려니까 지겨웠다. 게다가 매일 운동할 생각을 하니 짜증이 났다. 하지만 여기서 더 살이 찌면 병이 날 수도 있다는 의사 선생님 말이 떠올랐고, 엄마가 살만 빼면 다시 맛있는 음식을 만들어 주겠다고 꼬드겨서 오늘부터 운동을 시작했다. 오늘은 자전거를 타기로 했다. 막상 하려니까 귀찮기는 하지만, 그래도 열심히 해 볼 것이다.

일기를 쓴 뒤 느끼는 감정	먹고 싶은 것을 못 먹으니까 우울하다. 하지만 건강을 먼저 생각하기로 했다. 열심히 운동해서 하루빨리 건강한 몸무게를 되찾아서 다시 엄마가 만들어 주시는 맛있는 음식을 먹고 싶다.

친구들의 감정 일기 외로움

20xx년 11월 11일	감정 지수	 20 80

감정 단어	다정하다, 서럽다, 실망하다, 속상하다

제목 : 슬픈 빼빼로데이

빼빼 마른 막대 과자 하나에
우정과 사랑을 담는 빼빼로데이.

많이 받으면 인기가 많은 사람
적게 받으면 인기가 없는 사람.

결국 하나도 받지 못한 내 마음이
빼빼로보다 더 가늘게 쪼그라들었다.

두 사람을 다정하게 만드는 빼빼로데이
한 사람을 속상하게 만드는 빼빼로데이.

일기를 쓴 뒤 느끼는 감정	오늘 빼빼로를 하나도 받지 못해서 실망스럽고 서러웠다. 그런데 생각해 보니까 내가 먼저 친구들한테 빼빼로를 준 적이 없다. 받을 생각만 하다니! 내년에는 내가 먼저 빼빼로로 마음을 표현할 것이다.

친구들의 감정 일기 자신감

20xx년 12월 24일	감정 지수	 98 2
감정 단어	신나다, 자랑스럽다, 자신만만하다, 즐겁다	

제목 : 스케이트장에서 주인공은 나야 나!

　나는 스케이트나 스키를 좋아하는데, 오늘은 친구들에게 그동안 갈고닦은 실력을 뽐낼 수 있는 기회였다. 왜냐하면 친구들과 함께 스케이트장에 가기로 한 날이기 때문이다. 스케이트를 타기 위해서는 우선 가볍고 따뜻한 옷을 입는 것이 좋고, 반드시 준비 운동을 해야 한다. 또 발에 꼭 맞는 스케이트 신발을 골라 신고, 안전모를 쓰고 장갑도 껴야 한다. 스케이트를 탈 때에는 넘어지거나 날에 베이지 않도록 조심해야 한다. 나는 선생님처럼 친구들한테 하나하나 알려 주었다. 그러자 친구들은 대단하다면서 나를 칭찬해 주었다. 어깨가 으쓱해져서 스케이트를 잘 타지 못하는 친구들의 손을 잡아 주며 타는 법도 알려 주었는데, 그때마다 엄지손가락을 세우는 친구들 덕분에 내 자신이 자랑스러웠다. 오늘은 정말 신나고 즐거운 하루였다.

일기를 쓴 뒤 느끼는 감정	언제 어디서든 무엇을 하든 자신만만한 마음을 가지고 있으면 잘 해낼 수 있을 것 같다. 오늘은 스케이트 덕분에 자신감 넘치는 하루를 보냈지만, 다른 것도 잘하고 싶다는 마음이 들었다.

친구들의 감정 일기 공감

20××년 1월 15일	감정 지수	70 30
감정 단어	감동하다, 고맙다, 답답하다, 외롭다	

제목 : 공감이 감동을 주다니!

발을 헛디뎌서 계단에서 구르는 바람에 오른쪽 다리가 부러졌다. 병원에서 치료받으면서 한동안 입원해 있다가 깁스를 한 채로 오늘 학교에 갔는데, 불편한 점이 정말 많았다. 화장실 가기도 불편하고, 다른 친구들 노는데 함께 놀지도 못해서 외로웠다. 답답한 마음이 들고 속상했는데, 우리 반 성규가 나한테 다가와서 이것저것 챙겨 주었다. 화장실 갈 때도 부축해 주고, 쉬는 시간에는 내 옆에 앉아 말을 걸어 주었다. 평소에 친하지 않았는데, 왜 그럴까 생각하던 참에 성규가 말했다. 전에 자기도 다리가 부러진 적이 있는데, 내가 얼마나 불편하고 힘든지 잘 알 것 같아서 도와주는 거라고 말했다. 내 마음을 잘 알아주는 성규가 참 고마웠다. 성규 덕분에 다른 사람 마음을 이해해 주는 것이 얼마나 감동인지 알게 되었다.

일기를 쓴 뒤 느끼는 감정	다리를 다쳐서 기분이 안 좋았지만, 그래도 성규처럼 좋은 친구를 알게 돼서 기뻤다. 그리고 앞으로 공감을 잘할 수 있도록 마음을 활짝 열어 놔야겠다.

친구들의 감정 일기 사랑

20xx년 2월 14일	감정 지수	 80　　 20
감정 단어	긴장하다, 망설이다, 부끄럽다, 설레다, 홀가분하다	

제목 : 짝사랑, 그리고 고백

　사춘기가 시작되면서부터였을까? 언제부터였는지 모르겠지만, 현준이를 볼 때마다 수줍어서 얼굴이 빨개지고 가슴이 두근거렸다. 괜히 부끄러워서 엄마한테도, 제일 친한 지영이한테도 말하지 못했다. 전에는 당당하게 자기 마음을 고백하지 못하는 사람들이 바보같이 느껴졌다. 그런데 내가 그 입장이 되고 보니 고백을 하려면 큰 용기가 필요하다는 것을 깨달았다. 오늘은 좋아하는 사람한테 초콜릿을 주면서 고백하는 날이라고 한다. 그래서 오늘 현준이 책상 서랍에 초콜릿과 내 마음을 담은 편지를 슬쩍 놓고 바로 집으로 왔다. 한참 망설였지만, 그래도 마음을 전하고 나니까 홀가분했다. 그리고 현준이가 어떤 대답을 해 줄지 설레면서도 잔뜩 긴장되었다. 제발 현준이가 내 마음을 받아 주었으면 좋겠다.

일기를 쓴 뒤 느끼는 감정	누군가를 좋아하니까 잘 보이고 싶어서 더 멋진 사람이 되고 싶어진다. 사랑은 사람을 더 좋게 변하게 하는 것 같다.

* 이 책은 『열두 가지 감정, 행복 일기』의 개정판입니다.

나를 표현하는 열두 가지 감정

내 마음을 제대로 이해하고 잘 다스리자!

개정판 1쇄 2018년 4월 5일 | 개정판 10쇄 2024년 7월 6일
초판 1쇄 2010년 1월 15일

글쓴이 임성관 | 그린이 강은옥
펴낸곳 책속물고기 | 출판등록 제2021-000002호
주소 서울특별시 영등포구 양평로 157, 1112호
전화 02-322-9239(영업) 02-322-9240(편집) | 팩스 02-322-9243
전자우편 bookinfish@naver.com
책속물고기 카페 http://cafe.naver.com/bookinfish | 인스타그램 @bookinfish

ISBN 979-11-86670-92-7 73180

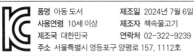

품명 아동 도서　　　제조일 2024년 7월 6일
사용연령 10세 이상　　제조자 책속물고기
제조국 대한민국　　　연락처 02-322-9239
주소 서울특별시 영등포구 양평로 157, 1112호
주의사항 종이에 베이거나 긁히지 않도록 조심하세요.
　　　책 모서리가 날카로우니 던지거나 떨어뜨리지 마세요.
KC마크는 이 제품이 공통안전기준에 적합하였음을 의미합니다.